M. Dominici

Undici Racconti

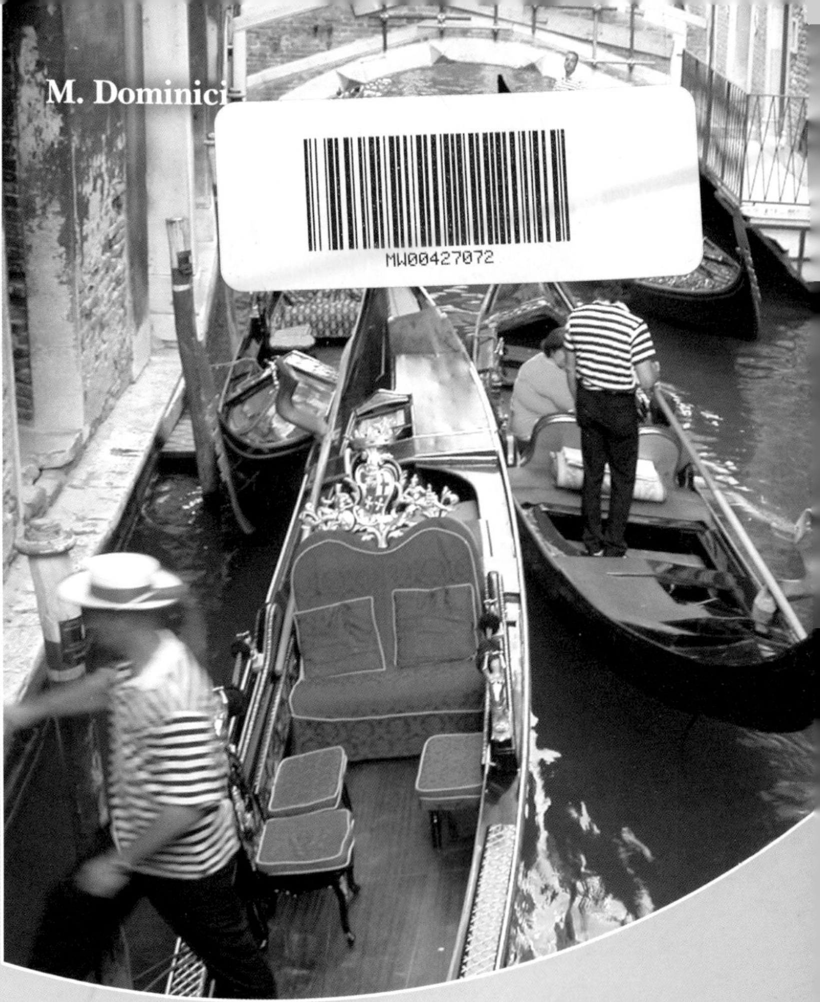

11 brevi storie ispirate a *Nuovo Progetto italiano 2*

livello intermedio

B1-B2 QUADRO EUROPEO DI RIFERIMENTO

Marco Dominici è laureato in Lettere Classiche e nel 2006 ha conseguito il Master Itals (Università Ca' Foscari di Venezia) per l'insegnamento dell'italiano come LS. Ha iniziato a insegnare italiano a stranieri nel 1989 presso l'Inlingua School di Ancona, la sua città di origine. Per quattro anni è stato docente di lingua e cultura italiana presso l'Istituto Italiano di Cultura di Damasco e poi presso il Centro Linguistico dell'Università di Damasco, in Siria. Attualmente collabora con la casa editrice Edilingua.

A mia moglie e a mia figlia

© **Copyright edizioni Edilingua**
Sede legale
via Paolo Emilio, 28 00192 Roma
www.edilingua.it
info@edilingua.it

Deposito e Centro di distribuzione
Via Moroianni, 65 12133 Atene
Tel. +30 210 57.33.900
Fax +30 210 57.58.903

I edizione: novembre 2008
ISBN: 978-960-6632-34-1
Redazione: L. Piccolo, A. Bidetti
Impaginazione e progetto grafico: E. Setta (Edilingua)

Ringraziamo sin da ora i lettori e i colleghi che volessero farci pervenire eventuali suggerimenti, segnalazioni e commenti. (da inviare a redazione@edilingua.it)

Premessa

La piccola silloge *Undici racconti* fa parte del materiale supplementare che accompagna *Nuovo Progetto italiano 2*. Si tratta infatti di 11 brevi storie ispirate agli argomenti affrontati in *Nuovo Progetto italiano 2* e legate dal punto di vista lessicale e grammaticale alle undici unità del corso. Il lessico di ogni novella è stato attentamente controllato e adattato al glossario dell'unità cui si riferisce, così come le forme sintattiche e grammaticali. Quando il racconto è ispirato a un dialogo o a un'attività in particolare ciò è indicato prima della storia; se manca questo riferimento, vuol dire che il racconto è ispirato all'argomento che fa da filo conduttore a tutta l'unità.

I racconti sono molto brevi, pensati per gli studenti che stanno studiando la lingua italiana, ma anche per coloro che non amano molto la lettura prolungata o la narrativa in generale. Brevi storie molto coinvolgenti, tanto che alcune lasciano spazio all'intervento diretto del lettore all'interno della narrazione, in quanto lo studente è invitato ora a completare o indovinare, ora a ricostruire o reinventare le trame stesse. Questo per incoraggiare lo studente a partecipare mantenendo nel contempo sempre un'alta motivazione e mettendo in atto una lettura veramente attiva.

Perché questi *Undici racconti*? In primo luogo perché rappresentano un modo più allegro, ludico e originale di riproporre temi e termini già incontrati nel corso delle unità e di attuare un'azione di reimpiego, rinforzo e fissazione degli stessi, presentati in un contesto narrativo piacevole; in secondo luogo per fornire all'insegnante, così come allo studente, del materiale nuovo e diverso su cui lavorare, magari anche in funzione delle pause invernali o estive. Ogni racconto è infatti accompagnato da due attività nelle quali lo studente viene invitato a reimpiegare alcune strutture e il lessico, ma anche espressioni colloquiali e idiomatiche che raramente si trovano nei libri di testo e nei confronti delle quali gli studenti sono sempre curiosi e ben disposti.

Questi *Undici racconti* sono parte integrante del *Progetto* di Edilingua: con questo volumetto infatti si arricchisce ulteriormente la proposta editoriale che comprende, accanto a *Nuovo Progetto italiano 2 - Libro dello studente*, anche il *Quaderno degli esercizi*, i Cd audio, il CD-ROM interattivo, la *Guida per l'insegnante* e le Attività online.

Buon lavoro e soprattutto... buona lettura!

Indice

1. OGGI PASSERÒ L'ESAME!

(*riferimento al dialogo di pag. 14*)

Prima della lettura

Lorenzo ha di nuovo l'esame con la professoressa Levi ed è un po' nervoso. Anche tu sei nervoso prima di una prova importante? Cosa fai in queste circostanze?

La notte prima di un esame, Lorenzo non riesce mai a dormire. Questo esame, poi, è diventato ormai un incubo[1]: oggi è la terza volta che prova a superarlo, ma stavolta ha studiato bene e, soprattutto, aveva tutti gli appunti. Insomma, è preparato. L'esame inizia alle 9, ma già alle 7 Lorenzo si alza, si fa una bella doccia e prepara la colazione. In cucina incontra suo padre che si prepara per andare al lavoro. Il padre lo guarda con la sua solita espressione, quella di chi non crede più che il figlio si potrà laureare in corso[2], e di chi è sicuro che una laurea in Lettere potrà dargli ben poco. Glielo aveva detto di studiare Giurisprudenza, come lui! Avrebbe potuto prendere il suo posto nel suo studio e avere così un lavoro assicurato!

Entra in cucina anche la madre, anche lei pronta per il lavoro.

– Allora, Lorenzo, mi raccomando, oggi!

Glielo dice sempre prima di un esame. Ma oggi lo fa con una voce più convinta, quest'esame di Letteratura Italiana è diventato un incubo un po' per tutta la famiglia.

– Sì, mamma, vedrai che oggi lo passo – risponde Lorenzo con un sorriso convinto che la rassicura.

– E vai piano, in motorino! – grida il padre dalla porta di casa, mentre esce.

Per fortuna è una bella giornata e Lorenzo può andare in facoltà in motorino, come preferisce. Indossa il casco e mette in moto: visto che ha tempo, farà un giro un po' più lungo, per le strade meno trafficate.

Ad un semaforo, Lorenzo si ferma a fianco ad una Vespa blu. Vede che alla guida c'è una ragazza. Ha un bel casco rosso fiammante[3]. Sembra carina, e quando si accorge che Lorenzo la osserva si gira anche lei a guardarlo, ma come a dire: "che vuoi?". Però in quell'attimo Lorenzo capisce che è veramente una ragazza molto carina: un volto perfetto, occhi neri e profondi, capelli neri che escono un po' dal casco. Più che carina, proprio bella. Una bellezza diversa da tutte le ragazze che Lorenzo conosce. Una bellezza più... adulta.

Dopo il semaforo, la ragazza gira alla prima strada a destra. Per un attimo Lorenzo pensa di seguirla, poi però decide di prendere un'altra strada.

Per andare all'università entra nel centro storico dove gli piace perdersi nelle strade

---

[1] *incubo*: brutto sogno.

[2] *in corso*: nei tempi previsti.

[3] *rosso fiammante*: rosso molto acceso.

strette che portano alla zona universitaria; con sua grande sorpresa, ad un altro semaforo rosso vede di nuovo la Vespa blu e il casco rosso della ragazza! Anche adesso si accosta[4] a lei, ma cerca di non guardarla. Questa volta è lei che lo guarda, decisamente arrabbiata.

– Te lo giuro[5], non ti ho seguita! Anzi, avevo preso un'altra strada anche se dovevo andare a destra anch'io! Ti chiedo scusa, ma io... – le dice Lorenzo.

La ragazza lo osserva ancora un attimo e poi scoppia a ridere. Anche Lorenzo ride e le chiede:

– Vai anche tu in università?

– Sì.

– Io studio Lettere. Oggi ho un esame, Letteratura Moderna.

Lei lo guarda stupita, sorride di nuovo, ma non dice niente.

– Non mi dire che anche tu hai lo stesso esame! – dice Lorenzo.

– Beh... diciamo di sì.

– Allora ci vediamo lì, io mi chiamo...

– Ragazzi, non vedete che è verde? Partite!!! – grida un automobilista che aspetta dietro di loro.

Lorenzo parte, non senza però gridare il suo nome alla ragazza:

– Lorenzo! Mi chiamo Lorenzo!

---

[4] *accostarsi*: mettersi accanto, a fianco.

[5] *giurare*: assicurare, garantire.

– Cosa? – grida la ragazza, ma ormai è troppo tardi, il rumore e la confusione del traffico coprono le loro voci.

Arrivati all'università, parcheggiano i motorini e si tolgono i caschi.

– Ti dicevo, prima, al semaforo... Lorenzo, mi chiamo Lorenzo.

– Antonella – dice la ragazza con un sorriso. Ha i capelli lunghi e scurissimi, un sorriso molto luminoso e gli occhi, quegli occhi... Lorenzo teme di essersi già innamorato di quegli occhi.

Ma Antonella sembra un po' imbarazzata[6] mentre parla con lui.

– A che anno sei? – le chiede Lorenzo, tanto per dire qualcosa, per continuare a stare con lei.

– Ehm... diciamo che sono fuori corso. Molto fuori corso – risponde Antonella con il solito sorriso imbarazzato.

– Ah, io sono...

– Scusa, Lorenzo, ma prima dell'esame devo passare in biblioteca. Ci vediamo all'esame, d'accordo?

– Sì, d'accordo, ciao... – ma Antonella è già lontana. "Ha sicuramente un ragazzo", pensa Lorenzo, sconsolato.

CONTINUA TU...

Come pensi che continuerà la storia? Lorenzo rivedrà Antonella? E come andrà l'esame? Scrivi due ipotesi su come finirà il racconto.

....

....

....

....

....

LEGGI ORA LA FINE DELLA STORIA

È l'ora dell'esame. Tutti gli studenti aspettano davanti alla porta dell'aula, dove c'è anche la professoressa Levi. Ma Antonella non è tra gli studenti. "Sarà ancora in biblioteca", pensa Lorenzo; "tra poco arriverà".

– Entrate e sedetevi in silenzio – grida a tutti la professoressa Levi – Iniziamo dalla lettera B, Baretti Lorenzo, chi è?

– Io! – grida Lorenzo. Non si aspettava di essere il primo, ma in fondo meglio così. Via il dente, via il dolore.

– Bene, Baretti – gli dice la professoressa Levi – inizierà l'esame con la dottoressa Luciani, la mia assistente.

---

[6] *imbarazzata*: che non sa bene cosa fare o dire.

Lorenzo non riesce a credere ai suoi occhi: la dottoressa Luciani è Antonella! Ha i capelli legati e degli occhiali da vista che la rendono più adulta e severa. Ecco perché quei sorrisi imbarazzati!

Lorenzo non sa dove guardare, non sa dove tenere le mani, la voce non esce dalla gola, non riesce a guardare Antonella, ma sente che lei lo osserva e allora decide di alzare gli occhi. Antonella gli sorride, un sorriso che lo tranquillizza.

Lorenzo risponde al sorriso. Sente che questa volta l'esame andrà davvero benissimo.

ATTIVITÀ

1 Caccia all'estraneo.
Sottolinea la parola che non ha relazione con le altre.

1. Giurisprudenza, Lettere, classe, Filosofia
2. assistente, biblioteca, professore, ricercatore
3. mensa, università, facoltà, dipartimento

2 Inserisci negli spazi vuoti i pronomi combinati giusti.

1. Lorenzo, ... ho detto tante volte, avresti dovuto studiare Giurisprudenza!
2. Le ho chiesto che facoltà fa, ma non .... ha voluto dire.
3. Noi gli abbiamo chiesto gli appunti, ma .... ha dati solo una parte.
4. Ragazzi, i soldi che mi avevate prestato, ... ho restituiti o no? Non mi ricordo!
5. Mi ha fatto davvero un grande favore, non .... dimenticherò!

2. UN SALTO IN BANCA

Prima della lettura

Vai spesso in banca? Che cosa pensi delle banche? Negli ultimi anni sono aumentate le banche nella tua città? Se sì, perché, secondo te?

Non so a voi, ma a me le banche piacciono. Si respira sempre un'aria, un'aria... Non so descrivere bene quell'atmosfera, ma basta entrare in una banca per capirlo. Tutto è tranquillo e pulito, in estate c'è un bel fresco e in inverno si sta al caldo. Silenziose e luminose, le banche mi danno sempre un gran senso di pace, di ordine. E poi, il cassiere che conta i soldi con le sue mani veloci ed esperte, mani da bancario, che toccano tutto con attenzione, rimettono in ordine le cose dopo ogni operazione, battono sui tasti del computer quasi senza far rumore.

Se ci pensate bene, pochi osano[1] far rumore in banca. Se qualcuno lo fa, spesso chiede scusa subito dopo. Un po' come in chiesa. Del resto, il denaro è l'unico Dio che unisce davvero tutti.

Sì, decisamente le banche mi piacciono. È per questo che almeno una volta alla settimana devo fare un salto[2] in banca. C'è chi va ogni domenica in chiesa, io devo andare in banca. È un bisogno interiore, capite?

Il problema è che non ho un conto in banca. A dire la verità, non ho nemmeno un lavoro. A dire la verità, non l'ho nemmeno cercato tanto. Cercare lavoro mi stanca. E mi deprime[3]. Tutti quei curriculum da mandare, le e-mail, e poi l'attesa di risposte che non vengono, colloqui di lavoro che finiscono sempre con "Grazie, Le faremo sapere" e poi non fanno sapere mai niente. Che tristezza.

Andare in banca invece mi fa sentire bene: in banca mi sento anche io qualcuno, una persona che sa dove andare, che ha cose da fare, impegni, appuntamenti, cose così, che danno senso alla vita, cose per cui vale la pena vivere. Insomma, io in banca mi sento un altro uomo. E quando esco, sono davvero un altro. Più felice, più sicuro di me.

Insomma, andare in banca è per me come fare benzina per una macchina, io devo andare in banca per la mia benzina personale.

Ogni volta devo cambiare banca, perché, sapete, ogni banca ha un suo stile e una sua atmosfera. E poi, oggigiorno, con tutte le banche che ci sono, non ho che l'imbarazzo della scelta[4]. A volte scelgo una banca per il colore: ci sono banche che hanno colori accesi, il giallo, il rosso, a volte l'arancione; altre che vanno su quelli più classici: il blu, il verde, o il bianco, che però fa un po' ospedale e non mi piace molto.

Non mi piacciono le banche con le guardie di fuori: ma che, non vi fidate dei vostri clienti?! O anche quelle con le porte di sicurezza, che devi lasciare fuori in una casset-

---

[1] *osare*: avere il coraggio.

[2] *fare un salto*: (espressione colloquiale) andare in un posto per poco tempo.

[3] *deprimere*: rendere triste, buttare giù.

[4] *avere l'imbarazzo della scelta*: espressione per dire che si hanno molte possibilità di scelta.

ta portaoggetti il portafoglio, il cellulare, le chiavi di casa... e chi mi dice che poi le ritroverò? Con tutti i ladri che ci sono in giro...
No, a me piacciono le banche semplici, dove apri la porta e subito il responsabile ti sorride e ti chiede "Desidera, signore?" e che bello sapere che è lì a tua disposizione, lui e tutti gli altri impiegati, certo, tutti ai tuoi ordini.
E il cassiere che ha quell'espressione rispettosa negli occhi, magari una goccia di sudore sulla fronte, perché non è certo facile lavorare con una pistola davanti.

No, non pensate male, io uso solo una pistola giocattolo, con cui giocavo quando ero bambino, ma è fatta così bene che nessuno capisce che è finta.
Non potete immaginare la gioia che provo quando la prendo in mano e grido: "Fermi tutti, mani in alto! Questa è una rapina!". Le alzano davvero le mani, e hanno quell'espressione sul volto che non mi stancherei mai di guardare. Dite che sono pazzo? No, sono solo un rapinatore sfortunato.
Perché sfortunato? Beh, come definireste l'ultima rapina che ho fatto, alla Banca Commerciale? Perfetta, certo, studiata in ogni minimo particolare, tranne uno: non mi ricordavo proprio che era la stessa banca in cui aveva trovato da poco lavoro la mia ragazza, Ludovica.
Quando mi ha visto, con la pistola che conosce bene perché ci gioca spesso il suo nipotino Alex, di quattro anni, mi ha guardato con un'aria stupita e incredula:
– Giovanni! Ma che ci fai qui? E quella, non è la pistola finta di Alex?

Capite bene che una rapina iniziata così non poteva avere un lieto fine.
Per fortuna nel carcere non mi trattano troppo male, e Ludovica mi viene a trovare ogni mercoledì. Dopo la chiusura della banca.

Attività

1 Indica le affermazioni presenti nel testo.

1. Le banche hanno sempre la temperatura ideale. ☐
2. Tutte le banche sembrano ospedali. ☐
3. Cercare lavoro è deprimente. ☐
4. Le cassette portaoggetti sono molto utili. ☐
5. Le banche più sicure sono quelle con la guardia fuori. ☐

2 Qual è il contrario di...? Unisci le parole di significato contrario.

1. pulito
2. pace
3. ordine
4. attenzione
5. rumore
6. tristezza
7. sfortunato
8. chiusura

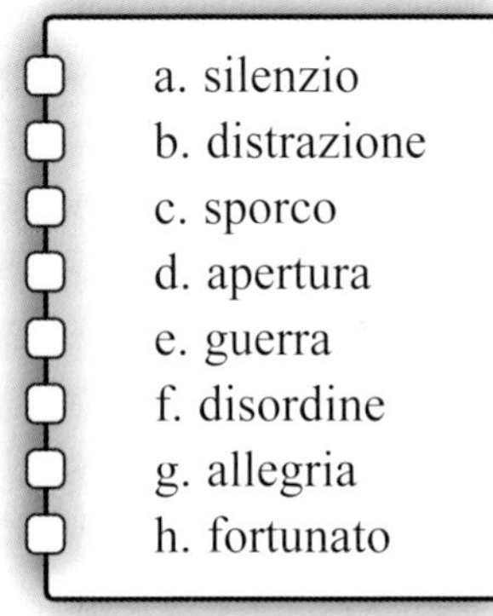

3. LA CITTÀ PIÙ BELLA DEL MONDO È LA MIA!

(*riferimento al dialogo di pag. 40*)

Prima della lettura
Nella tua città ci sono dei posti che per te hanno un significato particolare? Quali? Come li descriveresti a chi non li conosce?

Andrea alla fine ha scelto. A fatica, dopo molti dubbi, ha deciso di andare a lavorare a Venezia. Perché proprio Venezia? Perché lì vive da qualche anno uno dei suoi più cari amici, Roberto, che quando ha saputo che Andrea aveva la possibilità di andare a vivere a Venezia, lo ha convinto a scegliere quella città.

– Certo, è molto diversa da Napoli, ma ti assicuro che si sta benissimo. Io vivo qui da cinque anni e ormai non me ne voglio più andare. E poi, potresti vivere a casa mia, con me, come ai vecchi tempi, ricordi? Ho molti amici qui, te li farò conoscere, vedrai che ti troverai bene anche tu!

Andrea sarebbe voluto andare a Roma, la città più vicina a Napoli tra quelle proposte e sicuramente, per clima e atmosfera, la più simile alla sua. Ma a Roma non conosce nessuno, mentre Roberto è davvero un grande amico, con cui Andrea ha passato i momenti più felici della sua giovinezza, quando andavano in giro per l'Europa in treno o in autostop. Cose che si fanno a 20 anni! Forse era stato anche questo a convincerlo: andare a vivere con Roberto avrebbe significato tornare un po' indietro nel tempo: da soli, a chiacchierare fino a notte fonda[1], ridere e scherzare insieme, proprio come "ai vecchi tempi".

Quando Andrea comunica a Roberto la sua decisione con un sms, in cui scrive: "Arrivo tra una decina di giorni. Prepara la mia camera", Roberto non sta nella pelle per la gioia: "Evvai!" risponde con un altro sms. Poi la sera gli telefona e si mettono d'accordo per l'arrivo.

Dieci giorni dopo, Andrea è sull'aereo per Venezia. Accanto a lui viaggiano altre due persone, due giovani professionisti che si conoscono e parlano delle loro città di origine.

– Vai spesso a Napoli per lavoro, allora? – chiede quello più alto.

– Sì, almeno due volte al mese, ma solo per pochi giorni – risponde quello un po' più grasso.

– Bella, vero?

– Sì, bella, ma sinceramente io non ci vivrei mai. Troppo caos, troppa confusione. Solo i napoletani possono vivere a Napoli. E poi, lo sai, per me Genova è la città più bella del mondo.

– Eh, cosa avrà mai di speciale Genova?! Vuoi mettere con Venezia?

– Lo so, Venezia è bella, anche lì vado spesso per lavoro, come ora, e mi piace mol-

[1] *fino a notte fonda*: fino a molto tardi.

to fermarmi sempre almeno un giorno in più per godermela meglio. Ma non c'è paragone con Genova.

– Mah, invece a me Genova non attira molto...

– Come fai a dire così se non ci sei mai stato a Genova? Non sai cosa significa, camminare per le stradine del centro storico, fermarsi in qualche vecchia trattoria dove cucinano il pesce sul carbone e ti offrono sempre qualcosa. E poi, la zona del porto, dove andavo sempre con mio padre da bambino a pescare...

– Anche io andavo con mio padre a pescare alle "Zattere", sai? Non prendevo mai niente, ma rimane uno dei miei ricordi più belli. Quelle mattine d'autunno con un po' di nebbia, in cui Venezia sembra scomparire come per magia...

Davanti a loro, un signore si alza dal suo posto e li guarda con un sorriso:

– Scusate se intervengo, ma non ho potuto fare a meno di ascoltarvi. Io sono di Catania, e se non la conoscete vi invito a visitarla, quando potete: è una delle città più belle del mondo, secondo me.

– Sì, Catania, ho sentito dire che è una bella città – dice il giovane magro.

– Dire bella è poco – replica subito il signore – è stupenda, come tutta la Sicilia, del resto. Dovreste camminare per le vie del centro la mattina presto e andare alla pasticceria davanti al teatro per gustarvi una granita al caffè e la brioche tipica siciliana... Poi il sole si alza a poco a poco, tutta la piazza si illumina con i suoi palazzi barocchi e mentre siete lì pensate di essere nel posto più bello del mondo, vi assicuro.

Intanto l'aereo sorvola Roma, e dall'alto si distingue il corso del Tevere e il Vaticano con la cupola di San Pietro.

– Roma... – dice qualcuno, e tutti guardano dal finestrino.

– Questa è la città più bella del mondo! – dice ad alta voce un uomo col forte accento romano – Lo dicono tutti, anche gli stranieri!

Ne nasce una discussione che coinvolge quasi tutti i passeggeri dell'aereo, e anche alcune hostess decise a difendere l'onore – e la bellezza – della propria città.

– Siena è bellissima!

– Certo, ma volete mettere con Perugia?

– Mi fate ridere! Parlate così perché non conoscete bene Verona!

– E Lecce? Vi siete dimenticati di Lecce? "La Firenze del Sud"!

A un certo punto entra nella discussione anche il comandante dell'aereo, che con forte accento piemontese grida:

– Ma dico io, siete mai stati a Torino? È meravigliosa! Con i suoi caffè, i suoi portici... E io di città ne ho viste tante, col mio lavoro!

Andrea resta seduto al suo posto e preferisce tacere. Forse hanno ragione tutti: la città più bella del mondo è quella in cui si è nati, perché lì si hanno i ricordi più belli e ogni angolo, ogni strada, racconta molto di più del monumento più famoso. Andrea si accor-

ge infatti che nessuno parla di monumenti, ma tutti raccontano di vie, vicoli, caffè, angoli del porto o del centro storico che nessun turista ha mai fotografato e che sicuramente non è possibile trovare in nessuna guida. Ma quella è l'immagine della loro città che metterebbero in una loro personale *brochure* promozionale.
Quando l'aereo atterra a Venezia, ognuno sa qualcosa di più della città dell'altro. E Andrea è sicuro che presto visiteranno tutte quelle città di cui hanno sentito parlare. Mentre stanno per scendere, tutti si salutano con un sorriso, ognuno con il numero di cellulare degli altri, sicuri di una futura visita in un'Italia che non conoscono e che ora avranno l'opportunità di visitare.

ATTIVITÀ

1 Secondo te, cosa significa...?

1. *Non sta nella pelle per la gioia*
   - a. Ha un'allergia alla pelle
   - b. È entusiasta
   - c. È impaziente di fare qualcosa

2. *Vuoi mettere con Venezia?*
   - a. Vuoi andare a Venezia?
   - b. Vuoi fare un paragone con Venezia?
   - c. Vuoi mettere famiglia a Venezia?

3. *Mi fate ridere!*
   - a. Dite cose senza senso!
   - b. Siete molto divertenti!
   - c. Sono d'accordo!

2 Abbina le parole della colonna di sinistra ai nomi delle città date a destra, secondo quanto hai letto nel testo. Attenzione: ci sono due città di troppo!

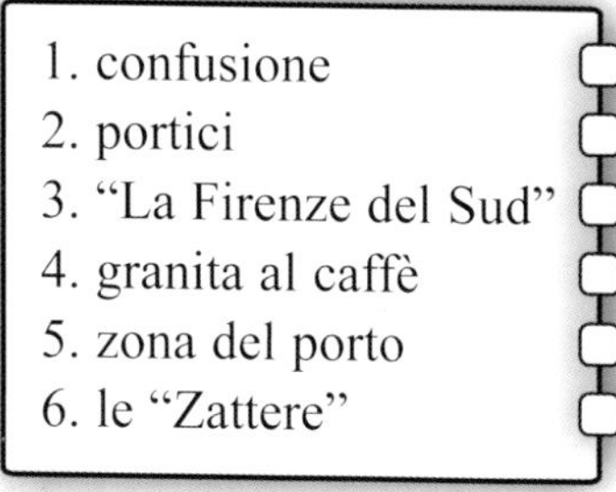

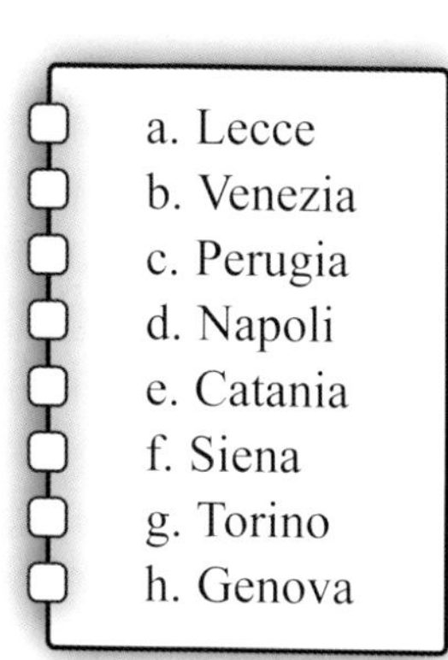

4. C'ERA UNA VOLTA...

Prima della lettura
Quale favola preferisci tra quelle che ti raccontavano da bambino/a? Qual è invece una favola che non ti è mai piaciuta? Esponi le tue ragioni.

C'era una volta... Così cominciano tutte le favole. E di solito finiscono con la frase: "e vissero tutti felici e contenti". Sì, contenti. Ma non per molto. Le favole durano poco, e quando finiscono inizia la vita reale.
E se volete sapere cosa c'è oltre il libro, oltre quella frase così bella, "e vissero tutti felici e contenti", ve lo dirò io.

Cenerentola

Cominciamo da Cenerentola, quella della scarpetta di cristallo, della fata e "bidididibodidibù".
Se proprio lo volete sapere, Cenerentola, dopo aver avuto tre figli dal principe, lo lasciò e aprì un centro di bellezza che porta il suo nome. Il principe non ha più un centesimo perché ha perso tutto al gioco: per pagare gli assegni familiari[1] si giocò a poker anche il castello, e naturalmente perse. Adesso lavora nel casinò come croupier. Almeno, dice lui, ha la consolazione di rimanere vicino ai tavoli da gioco.

Cappuccetto Rosso

Anche Cappuccetto Rosso non ha fatto una bella fine: se andate in centro, la troverete a chiedere l'elemosina insieme alla cara nonnina, che ha 105 anni ed è ancora viva e vegeta[2], anche se completamente sorda.
Il lupo è quello più contento: vive in un parco protetto dal WWF, che ha anche provveduto a dargli una compagna, una bella lupa. Abitano tutti e due in una caverna in montagna e hanno tre simpatici lupacchiotti.

Biancaneve

Biancaneve, dopo il divorzio (ah sì, ha divorziato anche lei, non lo sapevate?) è tornata a vivere con i sette nani, che nel frattempo sono diventati cinque, in quanto due di loro, tempo fa, decisero di lasciare quella piccola e sporca casa nel bosco per andare a vivere all'estero: "Ma come", si dissero, "lavoriamo in miniera giorno e notte per trovare diamanti e viviamo come dei poveracci?". Adesso vivono in Florida, in una villa vicina a quella dei grandi divi di Hollywood.

---

[1] *assegni familiari*: somma che uno dei due coniugi deve versare all'altro in caso di divorzio.
[2] *viva e vegeta*: in ottima salute.

Comunque neanche Biancaneve e gli altri cinque nani se la passano male: Biancaneve lavora per un canale privato dove conduce uno show tutto suo, balla e canta canzoni scritte e suonate dai cinque nani.

Pinocchio

Pinocchio, lo sapete, divenne un bambino. Poi diventò grande e continuò a frequentare pessime compagnie. Ora è un noto boss della mafia. Geppetto è morto da tempo, la fata turchina ha sposato un milionario dell'informatica. Pinocchio, senza la fatina e il padre tra i piedi, iniziò la sua "carriera" di mafioso. Il suo naso? No, non cresce più dopo ogni bugia (altrimenti sarebbe lungo qualche chilometro!) perché "don" Pinocchio ha fatto una plastica al naso per avere un profilo perfetto.

Come vedete, qualche volta è il caso di dire: "quasi tutti vissero felici e contenti"!

Attività

1 Cambiamo il finale!

C'è un'altra favola a cui vorresti dare un finale diverso? Scrivi qui sotto la fine "alternativa" di una favola che conosci! Usa, quando lo ritieni opportuno, il passato remoto.
(70 - 100 parole)

....

....

....

....

....

....

....

....

....

....

2 **Abbina i seguenti passati remoti al verbo all'infinito da cui derivano. Poi completa la loro coniugazione.**

	io	*tu*	*lui/lei/Lei*	*noi*	*voi*	*loro*
1. ☐	*mossi*					
2. ☐	*crebbi*					
3. ☐	*tolsi*					
4. ☐	*tacqui*					
5. ☐	*volli*					

a. volere *b.* togliere *c.* muovere *d.* crescere *e.* tacere

5. BUONE INTENZIONI

(riferimento al dialogo di pag. 70)

Prima della lettura

Qual è il tuo rapporto con lo sport? Ti definiresti una persona pigra? Perché?

Pierluigi ha deciso: dalla prossima settimana, solo sport. Ha studiato tutto con precisione e ha preparato una tabella con i suoi preferiti: lunedì si comincia con la pallacanestro, alle 21. Martedì ci sarebbe lo sci, ma deve lavorare, meglio rimandarlo al fine settimana; invece è possibile il nuoto, di pomeriggio dopo il lavoro. Mercoledì calcio, ovviamente. Giovedì, se riesce a fare in tempo, ciclismo. Venerdì tennis, non vede l'ora! Poi inizierà il fine settimana e lì non avrà che l'imbarazzo della scelta, con tutta la giornata libera! Visto che l'inverno sta finendo, dedicherà gran parte del tempo allo sci: ne vuole approfittare per le ultime discese della stagione. Domenica sera, per finire, ovviamente calcio, con la partita serale.

Tutto contento, fa vedere il suo programma settimanale a Chiara, la sua fidanzata, che non crede ai suoi occhi:

– Ma... Pierluigi, fai sul serio o è solo uno scherzo?

– Perché? Te l'avevo detto che avevo deciso! Dalla prossima settimana, tutto sport! Basta con i soliti film noiosi che abbiamo già visto cento volte!

– Sì, ma... sei sicuro che reggerai[1]? Non è un po' troppo, come inizio?

– Beh, certo è un programma piuttosto fitto[2], ma con un po' di organizzazione credo di farcela. Basta rispettare bene gli orari e i giorni.

– Sì, sì... ma aspetta, andiamo per ordine: allora, qui vedo scritto: "lunedì pallacanestro" e fin qui va bene, anche se non ti ho mai visto giocare a basket...

– Chiara, guarda che io...

– Va bene, dai, ci credo. Andiamo a martedì: leggo "nuoto". Ma non pensi che un giorno solo dopo il basket sia stancante? È vero che il basket è uno sport che ha molte pause, ma...

– Chiara...

– Mercoledì, secondo il tuo programma, c'è il calcio. Non calcetto, eh, proprio calcio!

[1] *reggere*: resistere.

[2] *fitto*: pieno, con molti impegni.

– Sì, vedi, il fatto è che...

– Mah, se riesci a trovare undici matti che giocano mercoledì sera... ma i tuoi amici, lo so, sono capaci di tutto.

– Chiara, temo proprio che tu non abbia...

– Per carità, non dico più niente, quando si tratta dei tuoi amici...! Allora, continuiamo: giovedì scrivi "ciclismo", e questa proprio mi fa ridere: a parte che dopo tre giorni così sarai non dico stanco morto, ma proprio morto e non riuscirai nemmeno a muovere un dito, ma se pensi di andare in bicicletta con quel catorcio[3] che hai in garage è davvero da ridere!

– ...Cosa? La mia mountain bike un catorcio? Ma se l'ho pagata...

– ...Sì, venti anni fa, quando eri ancora all'università, ma per favore, Gigi!

– Guarda che di quel tipo non le fanno più, è resistentissima...

– Non le fanno più perché nessuno le comprava, e poi come fai a dire che è resistente se l'avrai usata sì e no tre volte in vent'anni!

– Non è vero, sono andato in Sardegna, con quella bici!

– Mah, questa è una leggenda che cerchi di tenere viva, ma nessuno ti ha mai visto! Comunque, proseguiamo. Qui leggo: "venerdì tennis": se ti conosco bene, perderai più tempo a raccogliere la pallina che a giocare.

Proprio in quel momento qualcuno suona alla porta: din don! Pierluigi salta in piedi e corre alla porta:

– Finalmente è arrivato!

– Arrivato? Chi?

Chi è arrivato? Perché secondo te Pierluigi è così impaziente? Scrivi la tua versione della storia

....

....

....

....

....

Ora leggi la fine del racconto

Ma mentre Chiara fa la domanda Pierluigi ha già aperto la porta, dove trova un ragazzo con un pacco che dice: – È Lei Pierluigi Brandi?

– Sì, sono io. E questo è il decoder?

– Sì, signore. Firmi qui, prego.

Chiara guarda, ma non capisce: – Decoder? Che storia è questa?

---

[3] *catorcio*: oggetto, soprattutto mezzo di trasporto (bici, moto, auto e così via), molto vecchio e in cattive condizioni.

– Chiara, non mi hai lasciato parlare, prima: questo è il decoder per vedermi finalmente tutti i canali sportivi in *pay per view*.

– Cosa? Vuoi dire che quella tabella, quel programma...

– Ma certo, sono tutti gli appuntamenti sportivi che non mi voglio perdere questa settimana! Ma davvero tu pensavi che io...

Ma Chiara ha già preso cappotto, sciarpa e cappello ed è uscita di casa, furibonda[4].

Attività

1 Completa le frasi usando il congiuntivo quando necessario.

1. Chiara pensa che Pierluigi ....
2. Chiara pensa che la bicicletta di Pierluigi ....
3. Chiara non crede che Luigi .... in Sardegna in bici.
4. Per il fine settimana, Pierluigi ha deciso ....
5. Chiara non ha capito che Pierluigi ....

2 Completa il programma di Pierluigi con gli sport che intende seguire durante la settimana.

lunedì	martedì	mercoledì	giovedì	venerdì	sabato	domenica
				tennis		*calcio*

[4] *furibonda*: molto arrabbiata.

6. IL VIOLA PORTA SFORTUNA

Prima della lettura
Sei superstizioso/a? Conosci qualcuno che lo è? Hai mai avuto un portafortuna? Nel tuo Paese c'è un colore o un numero che porta sfortuna?

Si sa, gli artisti sono molto superstizioni. Per artisti intendo soprattutto persone del mondo del teatro. Se hanno avuto un insuccesso e portavano un paio di scarpe marroni, da quel giorno non metteranno più quel tipo di scarpe o quel colore. Se invece, al contrario, lo spettacolo è andato bene e, per esempio, erano andati in scena con una sciarpa gialla, da quel momento il giallo sarà il loro colore portafortuna e metteranno quella sciarpa anche in estate.

Io, lo dico subito, a queste cose non ci credo. Sono tutte sciocchezze[1]. Anche se lavoro da anni in questo mondo, non ho mai pensato di mettere o non mettere un colore perché "porta male". E i fatti mi danno ragione: sono un tenore famoso in tutto il mondo, ho inciso cd, ho fatto tournée in tutti i più grandi teatri di ogni continente. Non mi manca niente, dal punto di vista professionale.

Quindi potete immaginare cosa abbia pensato quando, alla prova generale della grande Prima della Scala, appena arrivato sul palco, ho visto il soprano Clara Gattullo quasi scappare dalla scena.

[1] *sciocchezza*: stupidaggine, cosa che non ha senso.

– Che hai Clara, hai visto un fantasma? – le chiedo io.

– La tua sciarpa... il tuo cappello...!

– Beh, cosa c'è? Sono nuovi, non ti piacciono?

– Sono... viola!!!

– Beh, direi di sì. Un bel viola, non trovi?

In quel momento, sento tutti gli sguardi su di me. Sguardi pesanti, duri, quasi cattivi. Clara non riesce a dire niente, trema solo di rabbia e di terrore. Io continuo a non capire. Inizio a togliermi il cappotto, poi metto in un angolo questo "famoso" cappello e infine la sciarpa. Li metto su una sedia vicino all'orchestra.

– Eh no! Non vorrai mica lasciare qui questa roba! – mi dice con tono aggressivo il tenore del secondo cast.

– Ma che avete contro i miei vestiti?

– Ma non capisci? – mi spiega al limite della pazienza Umberto Gozzi, il baritono:

– Il viola porta sfortuna! Dai, lo sanno tutti! E tu ti vesti di viola proprio il giorno della prima?!

– Ma su, non crederete mica a queste... – ma il loro sguardo non lascia dubbi: ci credono. E anche molto.

– Riccardi, Lei è un incosciente[2] – questa è la voce del regista, seduto sulle poltrone della prima fila. Non lo vedo, seduto lì al buio, ma la sua voce mi arriva chiara:

– Ma dico, Le sembra il giorno adatto per venire tutto di viola?

– "Tutto" di viola? Ma è solo un cappello! La sciarpa non è quasi viola, è fucsia scuro...

– Macché fucsia, è viola, anzi quella tonalità porta anche più sfortuna delle altre!!! – finalmente Clara ha ripreso l'uso della parola, ma la preferivo quando taceva.

– Sentite, siete tutti adulti, con tanta esperienza sulle spalle: possibile che ancora credete a queste baggianate[3]? Su...

Ma i fatti questa volta non mi diedero ragione. All'inizio credevo di averli convinti della loro stupida superstizione: la prova generale era andata molto bene, anzi fu proprio Clara la più straordinaria e tirò fuori degli acuti che non avevamo mai sentito. Lei stessa si stupì e addirittura alla fine della prova mi sorrise:

– Scusa... – disse imbarazzata – sai, sono molto nervosa per questa prima e...

– Non importa, lo siamo tutti.

Ma poi la prima iniziò. E con lei tutti i guai. Lo spettacolo sarebbe dovuto iniziare alle 21. Come per tutte le Prime, era prevista la presenza di qualche ministro e di altri importanti uomini politici. Poi naturalmente il sindaco della città, VIP, aspiranti VIP eccetera.

---

[2] *incosciente*: poco prudente, che non considera i pericoli.

[3] *baggianata*: come "sciocchezza".

Comunque, il primo incidente della serata ha riguardato addirittura il primo ministro. Prima hanno iniziato a dire che sarebbe venuto più tardi, e l'inizio dello spettacolo è stato rimandato.

Dopo tre quarti d'ora di attesa snervante, alla fine è arrivato l'annuncio che il primo ministro non avrebbe più assistito allo spettacolo. Nessuno ha mai saputo il perché.

Finalmente lo spettacolo inizia. Sono quasi le 22. Alle 22 precise, mentre l'orchestra attacca l'"adagio" dell'ouverture, si alza l'inconfondibile motivo dell'*Aida*. Proprio l'opera della serata. Ma il motivo viene dal cellulare di qualcuno. Cosa già di per sé tragica. Il fatto è che quel qualcuno è nientemeno che il direttore d'orchestra.

Imbarazzo generale. Prima silenzio di gelo, rotto solo dal motivetto elettronico bip bip bip sulle note dell'*Aida*.

Dal pubblico arrivano i primi fischi. Dal loggione[4] volano anche gli insulti: "vergogna", "ridicolo" erano i più generosi.

Nella stessa sera, sono successe purtroppo anche altre cose. Nell'ordine:

– Il primo violino viene colto da una colica intestinale[5] tra il primo e il secondo atto.

– Il costume della soprano (che faceva la parte di Aida, appunto) d'improvviso decide di cadere. Tutti hanno potuto ammirare la *lingerie* della povera Clara Gattullo, taglia 50.

– Mentre l'orchestra suona la celebre "marcia trionfale" (quella del telefonino), cede di schianto la sedia di uno dei violoncellisti, con gran fracasso e effetto domino sugli altri colleghi. Risultato, spettacolare quanto rumoroso, di almeno quattro violoncelli a terra e grida di dolore dei rispettivi maestri.

– Ciliegina sulla torta[6]: a mezzanotte e mezza saltano tutte le luci per un black-out. Un terribile temporale spegne Milano per più di due ore.

[4] *loggione*: il settore più alto e lontano dal palcoscenico.
[5] *colica intestinale*: forte dolore all'altezza della pancia.
[6] *ciliegina sulla torta*: ciò che completa (soprattutto in senso ironico) qualcosa, una situazione.

Si decide di accendere le candele per far suonare l'orchestra. Sul palcoscenico mettono grandi candelabri a dodici bracci per fare luce in scena. Il pubblico trova la cosa romantica e sicuramente originale. Poi il sipario inizia a prendere fuoco per una candela troppo vicina. Arrivano i pompieri. Fumo, panico e fuggi-fuggi generale.

Io continuo a non essere superstizioso, ma... per sicurezza non ho più indossato quella sciarpa e quel cappello.

Attività

1 Indica le affermazioni presenti nel testo.

1. Chi è superstizioso ha spesso un portafortuna personale.
2. Il protagonista ha una sciarpa portafortuna.
3. Il giallo nel mondo dello spettacolo è un colore molto amato.
4. La prova generale ha avuto un esito molto positivo.
5. Durante lo spettacolo, un violinista si è sentito male.
6. Il soprano è una donna magra.
7. I violoncellisti giocavano a domino.
8. Lo spettacolo è proseguito nonostante il black-out.

2 Per favore...!
Usa l'imperativo indiretto nelle situazioni che seguono.

1. Suona il cellulare di un vicino durante un concerto lirico:
   ....!
2. Sei superstizioso e un collega indossa un vestito di un colore che secondo te porta sfortuna:
   ....!
3. Un tuo vicino in treno accende una sigaretta, ma è vietato fumare:
   ....!
4. In autobus, ti alzi per far sedere una donna incinta:
   ....!
5. C'è un ricevimento ufficiale e inviti tutti i presenti a entrare in sala da pranzo:
   ....!

7. NASCITA DI UN ALBERO

Prima della lettura

Immagina di essere un albero (o, se preferisci, una montagna, un fiume, il mare ecc.): cosa diresti all'uomo a difesa dell'ambiente? Personalmente, cosa fai per proteggere la natura?

– A volte non ti viene voglia di essere un albero? Entrare nella terra con le tue radici[1] (come invidio le sue radici!), sentire le tue foglie mosse dal vento e dalla pioggia, i tuoi rami[2] che si alzano verso il cielo e vivono di sole, di vento, di temporali...

– Ma non sarebbe noioso, stare sempre fermo in questo modo? – gli chiesi io un po' scettico[3].

– Fermo? Tu pensi davvero che un albero stia fermo?

– Beh, non ho mai visto un albero camminare.

– Certo gli alberi non si muovono *come noi*, ma non credere, hanno una vita molto attiva.

Adesso si era messo in una posizione strana: gambe larghe, braccia aperte, leggermente piegate, una più in alto dell'altra.

– Vedi, gli alberi *sentono* tutto: sentono il vento e il vento entra in loro, e porta tutto quello che ha lasciato dietro di sé: le terre che ha visitato, i colori dei fiori. Gli alberi stanno fermi, ma girano il mondo più di ogni altro: perché l'acqua che scende su di loro, il vento che fa cadere le loro foglie, il sole stesso, vengono da un viaggio lungo e lontano. Per non parlare degli uccelli, che portano con sé tutti i posti che hanno attraversato.

Continuava a stare in quella posizione, e ogni tanto si muoveva leggermente, come al vento.

– Sembri davvero un albero – gli dissi con un sorriso ironico.

– Essere un albero – continuò lui – deve essere davvero una cosa unica. E noi siamo solo uomini. Noi la terra la uccidiamo. Lui, la terra la vive, ogni momento, ogni istante. La terra, capisci! Come possiamo essere così stupidi da non capire che la terra è tutto! E noi cosa facciamo? La copriamo anche di cemento, la avveleniamo!

– D'accordo – dissi – ma non possiamo tornare indietro, la nostra evoluzione è questa.

– Evoluzione? Distruggere alberi, coprire la terra di cemento e di asfalto è evoluzione? Io penso che sia il contrario. Guardiamo avanti ma camminiamo all'indietro. Allora è meglio stare immobili, come fa l'albero, e vivere di ciò che ci dà la natura, ascoltare la natura. Tu credi che l'uomo sia ancora capace di ascoltare la natura?

---

[1] *radici*: la parte della pianta che si trova sottoterra.

[2] *ramo*: parte della pianta che sporge dal suo corpo principale (tronco).

[3] *scettico*: una persona che ha forti dubbi su qualcosa.

– Non esagerare. Secondo te, saremmo dovuti rimanere ai tempi della pietra?

– No, ai tempi della pietra no. Ma nemmeno arrivare a questi tempi. Distruggiamo la terra e ci distruggiamo, perché la terra siamo noi, noi dalla terra riceviamo tutto.

Mentre parlava scuoteva la testa e, con tutti quei capelli che aveva, sembrava davvero un albero frondoso[4] attraversato da un leggero vento di primavera.

Lo lasciai così, ancora in quella posizione, con i suoi pensieri. Ma il giorno dopo, quando tornai nello stesso posto, non c'era più. Al suo posto, un grande albero che il giorno prima non c'era. In un primo momento pensai di aver sbagliato posto, eppure no, eravamo proprio lì, ricordo il cestino dei rifiuti, quegli strani fiori gialli. Il posto era proprio quello. E ora, quell'albero. Lo guardai a lungo, con i rami nella stessa posizione che avevano le sue braccia ieri.

[4] *frondoso*: con molti rami e foglie.

Lo chiamai al cellulare, ma non rispondeva nessuno. Iniziai a chiamare qualcuno dei nostri amici, ma nessuno lo aveva più visto dal giorno prima.
Non potevo crederci. Era la cosa più incredibile che potesse capitare.

Da quel giorno, vado sempre in quel parco. Arrivo davanti all'albero e mi siedo. La gente mi guarda in modo strano, quando vede che gli parlo.

Attività

1 Trasforma le frasi al passato secondo il modello.

> Spero che tu faccia qualcosa di concreto per la natura.
> *Speravo che tu facessi qualcosa di concreto per la natura.*

1. Non credo che gli alberi abbiano una vita molto attiva.

   ....

2. Spero che l'uomo un giorno rispetti di più la natura.

   ....

3. Non credo che l'uomo sia capace di ascoltare la natura.

   ....

4. La gente non immagina che quell'albero fino al giorno prima era una persona.

   ....

5. Non penso che voi un giorno mi crederete.

   ....

2 Le parti di un albero.
Collega le parole alle immagini corrispondenti.

1. foglia
2. ramo
3. tronco
4. radici

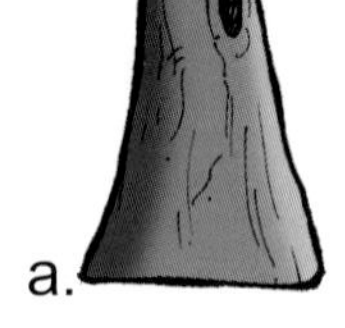
a.

b.

c.

d.

8. TE LO DICO CON UN SMS

Prima della lettura

Scrivi e ricevi molti sms? C'è stato un sms particolarmente importante o strano che hai ricevuto? In che occasione?

Diego, come ogni giorno, aspetta il metrò per andare all'università. Ascolta in cuffia le canzoni del suo artista preferito e pensa alla giornata che lo aspetta. D'improvviso, davanti a lui appaiono due ragazze. Una di loro è la sua ragazza ideale. Non c'è un perché, ma è lei. Diego lo sente. Il cuore inizia a battere più velocemente del ritmo del rock che sta ascoltando, e inizia a sudare. Si toglie le cuffie per ascoltare che voce ha quella meravigliosa creatura.

La ragazza parla con l'amica. Hanno tutte e due il loro cellulare in mano.

– Allora, hai preso il numero? – chiede la meravigliosa creatura.

– Sì, Viola. 339.830038, non è troppo difficile da ricordare.

"Viola", pensa Diego, "si chiama Viola". Poi prende immediatamente il suo cellulare e scrive quel numero.

È meglio se chiami dopo le 5, oggi... – continua Viola, ma già Diego insegue i suoi pensieri e i suoi sogni. "Ho visto la mia donna ideale. Si chiama Viola e ho il suo numero di cellulare", pensa, come se glielo avesse dato Viola in persona.

Mentre Diego vola con la fantasia, Viola lo guarda un attimo. Poi riprende a parlare. Poi lo guarda ancora. Poi sussurra qualcosa alla sua amica e lo indica con la testa. Le due ragazze ridono. Diego pensa: "parlano di me. Viola mi ha notato... non ci posso credere!".

Arriva il metrò. Diego cerca di non perdere di vista Viola. Ad una fermata, l'amica di Viola scende. Qualche fermata dopo scende anche Viola. Diego decide di seguirla, senza che lei se ne accorga.

Viola sale le scale e sulla piazza l'aspetta un'altra ragazza. Non bella come lei. Anzi, per niente bella. O comunque a Diego non piace. È troppo alta. O troppo magra. O forse, semplicemente, non è Viola. Le due ragazze lo osservano e Viola sorride ancora. Anche l'altra ragazza sorride e dice qualcosa a Viola all'orecchio. Poi le due ragazze vanno verso il corso principale. Entrano in un bar. Diego, ormai sicuro di sé, le segue. Si siede ad un tavolo poco lontano. Fa finta di niente, ma ogni tanto le guarda. Loro lo hanno capito e sorridono.

Diego decide che è il momento di entrare in azione. Prende il suo cellulare e scrive un sms. Destinatario: Viola.

SEI MOLTO BELLA. SCUSA SE TI HO SEGUITO, MA NON HO POTUTO FARNE A MENO.

Invio. Messaggio inviato. Nel bar si sente un bip bip. Un cellulare al tavolo delle due ragazze avverte di un messaggio arrivato. Diego abbassa la testa, ma con la coda dell'occhio guarda le due ragazze: l'altra ha in mano il cellulare di Viola e ride e lo guarda. Anche Viola ride. "È fatta!", pensa Diego.

Bip bip!

Questa volta è il cellulare di Diego ad avvertire di un messaggio arrivato. A Diego sembra il suono più bello del mondo. Eppure è il solito bip bip.

Cosa risponde secondo te la ragazza? Immagina due possibili sms di risposta

....

....

....

....

Il messaggio di Viola è questo:

SEI SIMPATICO. DI SOLITO NON MI PIACE CHE QUALCUNO MI SEGUA, MA IN QUESTO CASO MI HA FATTO PIACERE. COME TI CHIAMI?

Diego legge e rilegge quel messaggio. Si sente l'uomo più felice del mondo. Scrive velocissimo il suo sms:

MI CHIAMO DIEGO. E TU?

Fa finta di non sapere il nome di Viola.
A questo punto succede una cosa strana: Viola si alza. Saluta l'altra ragazza e se ne va. Le dà un bacio e guarda ancora un attimo Diego. Poi sorride alla sua amica e le dice in modo che anche Diego senta:
– In bocca al lupo!
Ma Diego non capisce. Bip bip! Un altro messaggio ricevuto. La ragazza al tavolo sorride con il cellulare di Viola in mano.

MI CHIAMO VALENTINA. ADESSO
CHE MIA SORELLA SE N'È ANDATA,
SE VUOI, VIENI AL MIO TAVOLO.

Ora Diego ha capito. O forse no. Osserva quella ragazza, il cellulare, poi guarda il suo... Ha capito di non aver capito niente. E ora si trova in una di quelle situazioni in cui vor-

resti solo che scendessero i titoli di coda[1] e la parola fine. Un film dal finale ridicolo. Un racconto poco riuscito con un ragazzo scemo[2] come protagonista. La sorella di Viola, intanto, continua a guardarlo e a sorridergli.
"Dopo tutto questa Valentina non è poi così male", pensa Diego. Anzi, a osservarla bene assomiglia anche un po' a Viola. Ha gli stessi occhi, anche se il naso è più grande. Certo, è un po' alta – o forse è lui troppo basso? – ma lei sembra non considerare importante l'altezza di Diego.
Ora Valentina fa un gesto con la mano che gli ricorda Viola. "In questo sono davvero sorelle", pensa. Anche lui le sorride. Ma non va al suo tavolo. Preferisce continuare il gioco con gli sms, e digita un nuovo messaggio. Per quasi un quarto d'ora, nel bar si sentono i bip bip dei due cellulari.

Vent'anni dopo...

– Il gioco è durato ancora qualche messaggino, poi sono andato al suo tavolo – racconta Diego dopo la cena per il suo compleanno.

– Sì – dice Valentina – ha continuato ancora a mandarmi sms e poi finalmente è venuto al mio tavolo!

– Insomma, vi siete conosciuti così! – sorride Francesca, la loro figlia maggiore – Con un sms!

– Sì, proprio così. Con un sms.

Attività

1 Costruisci dei periodi ipotetici a partire dalle frasi date, secondo il modello.

> Diego si è tolto le cuffie per ascoltare cosa diceva Viola.
> *Se Diego non si fosse tolto le cuffie, non avrebbe sentito quel numero di cellulare.*

1. Diego non ha ascoltato bene quando Viola parlava con l'amica nel metrò.

   ....

2. Diego non ha capito che il numero era quello della sorella di Viola.

   ....

3. Per fortuna il cellulare di Diego aveva la batteria carica.

   ....

4. A Valentina piace Diego e lo invita al suo tavolo.

   ....

[1] *titoli di coda*: alla fine di un film, tutti i nomi dei protagonisti e di chi ha lavorato al film.
[2] *scemo*: sinonimo di "stupido".

5. È stato grazie ai cellulari che Valentina e Diego si sono innamorati.

....

2 Unisci le frasi date con i connettivi adeguati. Dove necessario, fai i cambiamenti che ti sembrano opportuni.

Ieri ho incontrato un tuo amico
Mi hai presentato il tuo amico la settimana scorsa
Non mi ricordo il nome del tuo amico
Ieri ho incontrato il tuo amico che mi avevi presentato
la settimana scorsa, ma non mi ricordo il suo nome.

1. Diego ha incontrato in metrò una ragazza
   La ragazza è la ragazza dei suoi sogni
   La ragazza si chiama Viola

   ....

   ....

   ....

2. Viola è nel metrò con un'amica
   Viola ha appena dato all'amica un numero di telefono
   Diego crede che quel numero sia di Viola

   ....

   ....

   ....

3. Diego segue Viola che va in un bar con un'amica
   L'amica di Viola in realtà è sua sorella
   A Diego non piace la sorella di Viola

   ....

   ....

   ....

9. L'UOMO CHE RUBAVA FONTANE

Prima della lettura
Nella tua città qual è l'opera d'arte più preziosa? Perché ha così tanto valore?

La notizia fece in pochi minuti il giro del mondo:

"È stata rubata la Fontana di Trevi!"

Siti internet, edizioni speciali dei notiziari radiotelevisivi, tutti parlavano dell'incredibile fatto avvenuto nella notte tra il 15 e il 16 agosto a Roma. Al posto del famoso monumento, era stato messo dai ladri un enorme pannello, una fotografia della fontana a grandezza naturale. La fontana, quella vera, non c'era più. Gli abitanti di Roma non potevano crederci; molti di loro avevano deciso di anticipare il ritorno dalle ferie di ferragosto per andare a vedere di persona. Anche i ministri del governo erano tornati in fretta e furia dalle vacanze e stavano per riunirsi in seduta straordinaria.
Il ministro per i Beni Culturali era infuriato e alle domande dei giornalisti rispondeva in modo vago: dava la colpa al Ministero dell'Interno che non era stato capace di prevenire un furto del genere, mentre ovviamente da parte sua il ministro dell'Interno dava la colpa al Ministero delle Finanze che non aveva dato i soldi necessari a Polizia e Carabinieri per fare meglio il loro lavoro.

– Se non l'avessi visto con i miei occhi, non ci crederei! – diceva il primo ministro al Presidente della Repubblica.

– Già, già... – diceva pensieroso il presidente, camminando lentamente davanti alla enorme fotografia lasciata al posto della fontana.

– Ma io dico, come è stato possibile!? Per una cosa del genere sono necessarie ore, ma che dico?! Giorni di lavoro! – esclamò il primo ministro questa volta rivolto al questore.

Il questore intanto chiamava al cellulare il commissario Benvenuti, uno dei migliori uomini della Squadra Mobile[1] di Roma.

– Comandi, signor questore – aveva risposto al primo squillo Benvenuti.

– Credo che abbia già capito il motivo della mia chiamata, commissario.

– Purtroppo temo di sì, signor questore. Vuole che indaghi su questo furto, immagino.

– Esattamente. Si è fatto già un'idea, per caso? – chiese speranzoso il questore.

– Non precisamente, anche se il periodo del furto mi dice qualcosa... Sa, Ferragosto, tempo di vacanze per tutti... e quando il gatto non c'è, i topi ballano – disse il commissario, che amava ricorrere spesso a proverbi e alla saggezza popolare.

– Che gatto, che topi, signor commissario? Siamo di fronte a una cosa gravissima, altro che proverbi! Piuttosto, venga qui immediatamente, siamo davanti a... quella che era la fontana di Trevi con il primo ministro, il signor presidente e il ministro per i Beni Culturali! Faremo presto una riunione al Quirinale[2] per cercare di chiarire la situazione! – e chiuse il telefono, quasi pentito di aver chiamato un uomo che citava proverbi invece di farsi venire delle idee.

Il commissario Benvenuti si rimise il cellulare nella tasca della giacca, e intanto pensava: "ministri, presidenti, questori... troppi galli a cantar non fa mai giorno". Ed entrò nella sua auto.

Arrivato davanti alla... foto della fontana di Trevi, fu accolto dal questore in modo brusco[3]:

– Ah, finalmente! La sto aspettando da quasi un'ora! Gli altri sono già al Quirinale! Ma quanto ci ha messo?

– In centro c'è un traffico incredibile, signor questore, e comunque, meglio tardi che mai, no?

– Beh, allora, nel frattempo ha pensato al caso?

– Sì sì, e secondo me... non tutto il male vien per nuocere, signor questore.

– Cosa intende dire?

– Intendo dire che uno che ruba fontane prima di tutto non è da solo, secondo non può andare molto lontano e terzo deve avere un posto abbastanza grande dove tenere... ehm, la "refurtiva"[4].

– Beh, e allora?

– Allora Le chiedo il permesso di sorvolare la zona con gli elicotteri, perché sicuramente è nelle vicinanze. Non si ruba una fontana e la si mette sotto il letto. Anche perché temo che se non lo troviamo presto...

– Se non lo troviamo presto cosa?

– Beh sa, signor questore... l'appetito vien mangiando...

– Cosa intende? Crede che potrebbe colpire di nuovo? Ah, ma farò sorvegliare ogni

---

[1] *Squadra Mobile*: così si chiama la sezione operativa della Polizia.

[2] *il Quirinale*: la sede del Presidente della Repubblica Italiana.

[3] *in modo brusco*: in maniera molto diretta, non molto educatamente.

[4] *refurtiva*: tutto ciò che è stato rubato.

fontana di Roma notte e giorno, farò...

– Tutte le fontane di Roma? Tutte le fontane d'Italia, dovrebbe dire. Purtroppo temo che questo potrebbe essere il primo furto di una lunga serie. E chissà in quale altra città.

Il commissario aveva ragione. Dopo una settimana di ricerche senza risultato, la polizia concentrò la sua attenzione sulle fontane di Roma, ma il "ladro di fontane" colpì a Bologna l'8 di settembre e a Firenze il 2 novembre. Sparirono, rispettivamente, la fontana del Tritone nel centro di Bologna e quella del Nettuno a Firenze. Al loro posto, le solite gigantografie. "Il lupo perde il pelo ma non il vizio", commentò il commissario Benvenuti durante un'intervista televisiva.

– Ma che ci fai, di tutte queste fontane, Berto mio? – chiedeva la madre ormai ottantenne al figlio che nel giardino aveva allineato[5] le tre fontane rubate e ormai non aveva quasi più posto per altro.

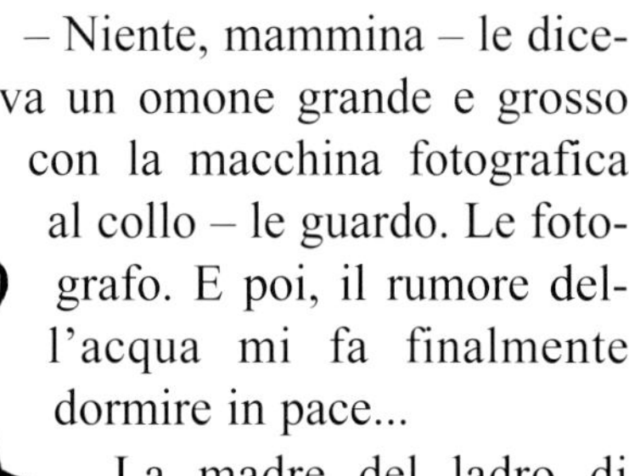

– Niente, mammina – le diceva un omone grande e grosso con la macchina fotografica al collo – le guardo. Le fotografo. E poi, il rumore dell'acqua mi fa finalmente dormire in pace...

La madre del ladro di fontane sorrideva felice: finalmente, dopo più di 40 anni, il figlio aveva trovato un rimedio contro la sua terribile insonnia. Non solo: era anche diventato famoso, come aveva sempre desiderato. Tutti parlavano di lui. Ma perché nessuno veniva a intervistarlo?

[5] *allineare*: mettere sulla stessa linea, mettere in fila qualcosa.

ATTIVITÀ

1 Cruciverba.

Orizzontali
2. Controllare, vigilare.
3. Fare una ricerca per scoprire la verità.
5. Tutto ciò che viene rubato.

Verticali
1. Ufficiale di polizia.
4. Chi ruba.

2 Proverbi italiani.

Il commissario Benvenuti cita alcuni proverbi. Sai veramente cosa significano? Unisci il proverbio al suo significato. Attento, ci sono due definizioni in più!

1. Quando il gatto non c'è, i topi ballano.
2. Troppi galli a cantar non fa mai giorno.
3. Meglio tardi che mai.
4. Non tutto il male vien per nuocere.
5. L'appetito vien mangiando.
6. Il lupo perde il pelo ma non il vizio.

a. Una volta che si inizia a mangiare, viene ancora più fame.
b. Quando nessuno controlla, tutti ne approfittano per fare ciò che vogliono.
c. Più si invecchia, più le nostre qualità si valorizzano.
d. Non necessariamente una cosa negativa risulta davvero dannosa.
e. Chi arriva tardi, si deve adattare alle circostanze.
f. Chi ha dei difetti, li mantiene fino alla vecchiaia.
g. Se ci sono troppe persone a decidere, non si decide mai niente.
h. Meglio arrivare tardi che non arrivare per niente.

10. LINEA DIRETTA CON IL LADRO

Prima della lettura
L'Italia ha il primato europeo dei furti d'auto. Nel tuo Paese qual è il crimine più diffuso? Che consigli daresti, in termini di sicurezza, a chi lo vuole visitare?

Un giorno come tanti, per questioni di lavoro, Giorgia, una giovane donna-manager di appena 40 anni, scende dalla sua auto per consegnare dei documenti. Una cosa di pochi secondi, tanto che lascia la borsa in macchina e la radio accesa. Come previsto, dopo nemmeno un minuto esce dal palazzo dove ha consegnato i documenti, ma... la macchina non c'è più!

– Mi hanno rubato la macchina! – grida Giorgia. Alcuni passanti si fermano per aiutare quella bella donna elegante. Qualcuno le chiede se sta bene, se è ferita. Altri fanno domande insistenti:

– Dove? Come? Dove l'aveva parcheggiata? L'aveva lasciata aperta?

– Sì... no... era qui davanti... l'ho lasciata solo per un minuto... io... – Giorgia è arrabbiata e triste allo stesso tempo.

– C'era anche la mia borsa, dentro! Il mio computer portatile, la mia agenda elettronica, il cellulare...! – sospira.

Il cellulare! Forse è una pazzia, ma decide di usare il cellulare del lavoro, che porta sempre con sé, per telefonare al... ladro della sua auto. Magari non servirà a niente, ma almeno ci prova.

Compone il numero. Uno squillo. Due. Tre. Non risponde nessuno, naturalmente. Giorgia sta per riattaccare, quando sente una voce maschile:

– Pronto!

– Pronto, chi parla?

– Come chi parla? Sono io che lo chiedo a Lei!

– Io sono la proprietaria del cellulare, e quindi della macchina e di tutto quello che c'è dentro!

– Ah, piacere. Io sono il ladro della macchina. Posso fare qualcosa per Lei?

"Mi chiede se può fare qualcosa per me! È il colmo!", pensa incredula. Però, quella voce... le sembra una voce familiare. No, è impossibile...

– Fare qualcosa per me? Certo che può fare qualcosa per me! Restituirmi la macchina e tutto il resto!

– Un momento signora, ragioniamo: la macchina è assicurata, giusto?

– Sì, ma...

– ...e non è nemmeno sua, magari: di suo marito, dell'azienda?

– Non sono sposata... è dell'azienda, sì.

– Ecco, quindi per Lei non è un problema. C'è qualcosa a cui tiene particolarmente nella borsa? Io sono solo un ladro d'auto, il resto non mi interessa. Tranne i contanti, ovviamente.

"Senti senti, questa è bella!", pensa Giorgia. È sempre più imbarazzata, un ladro così non se l'aspettava. E quella voce le sembra davvero di conoscerla.

– Beh, di contanti non ne porto mai tanti... ci saranno 50-100 euro, nel portafoglio. Ma la mia borsa la rivoglio, con tutti i documenti, e il cellulare e...

– Anche questo laptop è Suo?

– Sì, è mio.

– Ok. Le restituirò tutta questa roba. Oh, aspetti, ho una chiamata al mio cellulare.

– Sì, prego... (ma cosa sto dicendo?!)

– Sì, pronto? – ora il ladro sta parlando con un'altra persona – Sì, Le ho detto che lascerò i suoi documenti al McDonald's vicino alla Stazione Centrale. Alle cinque vada lì e chieda alla cassa. Alle cinque, mi raccomando.

Giorgia è sempre più stupita: un ladro così non l'aveva mai visto, nemmeno nei film!

– Allora, signora...

– Benelli, mi chiamo Giorgia Benelli. Lo può vedere dai miei documenti.

– Giorgia? – la voce non è più sicura come prima. C'è un silenzio di qualche secondo, durante il quale Giorgia capisce tutto.

– Marcello? Sei Marcello Fantoni, vero?

– ...Giorgia, quanto tempo...

Marcello. Il suo grande amore del liceo. Si erano giurati amore eterno, l'avevano scritto sui diari e sui muri. Per Giorgia, Marcello era rimasto il ricordo sentimentale più bello. All'università aveva avuto solo flirt con ragazzi più grandi e meno brillanti. Ma Marcello era unico. Solo lui poteva diventare un ladro così. Marcello.

– Marcello – ha la forza di dire Giorgia, che in un secondo è tornata indietro di 20 anni – Marcello, ma che combini? Sei diventato un ladro di macchine?

– Giorgia, e che dovevo fare... Con una laurea in Storia dell'Arte presa a 27 anni, chi ti prende? E io con il lavoro non ho mai avuto un gran rapporto, diciamo. E poi, come vedi, non sono un vero e proprio ladro. Diciamo che mi sono messo in proprio nel mondo dell'import-export. Io consegno le auto ad un tizio che gestisce un giro di macchine rubate in tutta Europa; lui mi dà quello che mi spetta e amici come prima. Mi tengo solo i contanti nelle borse dimenticate in auto, il resto lo restituisco. E ti assicuro che la gente lascia di tutto. Anche tu, vedo.

– Sì, sono stata stupida a lasciare tutto così (ma che faccio, mi scuso io?)... ma ho lasciato la macchina meno di un minuto! Come hai fatto a rubarla?

– Segreto professionale – ride Marcello, e la risata è quella di sempre, calda, sicura, tranquillizzante. Sembrava che tutti i problemi del mondo non esistessero più, quando Marcello rideva così.

– Giorgia... – la voce di Marcello ora è più bassa – Giorgia, ci possiamo incontrare? Voglio dire, per restituirti tutto e... per rivederti. Non mi denuncerai, vero?

– No, Marcello, come potrei...

– Senti, sto vedendo l'indirizzo sulla tua patente. Corso Monforte.

– Sì. Vivo lì. Sola... – dice Giorgia.

– Senti, se vengo da te... diciamo dopo le sei, ti trovo?

– Sì. Credo di sì. Comunque chiamami prima, per sicurezza. A questo numero da cui ti sto chiamando. È il cellulare che uso per lavoro.

– D'accordo. Allora a dopo. Non vedo l'ora, Giorgia, lo sai? Eppure non dovrei confondere lavoro e sentimenti. Ma con te... A dopo, Giorgia.

Quel giorno, Giorgia è distratta, al lavoro, ma tutti pensano sia a causa del furto. Ovviamente Giorgia non ha detto niente del ladro. Marcello. L'unico che le abbia detto "ti amo" in maniera davvero sincera. Si erano giurati che non si sarebbero mai lasciati. E lui le aveva detto che l'avrebbe amata sempre, anche dopo che lei aveva deciso di lasciarlo. Perché poi? Per una ragione banale. Scelta di facoltà diverse, lei che va a studiare in un'altra città. Errori di gioventù. Adesso ricorda come fosse ieri quel ragazzo alto, sorridente e romantico, che da grande voleva fare "il pensionato". Alle sei lo rivedrà. E questa volta non lo lascerà più andare via.

Attività

1 Discorso indiretto e discorso diretto.

a. *In base al testo, ricostruisci al discorso diretto le frasi che si sono detti Marcello e Giorgia quando erano giovani.*

1. Si erano giurati che non si sarebbero mai lasciati.

   ....

2. Marcello le aveva detto che l'avrebbe amata sempre.

   ....

3. Marcello diceva sempre che da grande voleva fare "il pensionato".

   ....

b. *Ora riporta al discorso indiretto alcune parti del dialogo.*

1. "Io sono solo un ladro d'auto, il resto non mi interessa."
   Marcello le disse che ....
2. "Marcello, ma... sei diventato un ladro di macchine?"
   Giorgia gli chiese ....
3. "Comunque chiamami prima, per sicurezza."
   Giorgia disse a Marcello ....

2 In poche parole.

Scrivi in poche parole il contenuto della storia, come se fosse un breve e curioso articolo di giornale. Dai anche un titolo al tuo articolo, in modo da attirare il lettore. (max. 40 parole)

Titolo: ....

....

....

....

....

....

....

....

....

11. LIBRI... DA MANGIARE!

Prima della lettura

In italiano c'è un espressione: "divorare[1] i libri": cosa pensi che significhi? C'è anche nella tua lingua un'espressione del genere?

Per tutto il giorno, chissà perché, Michele aveva pensato alla frase detta dal suo amico Danilo nel metrò, il quale, mostrandogli il libro che aveva appena finito di leggere, gli aveva detto: "Guarda, ti consiglio di leggerlo, questo libro. Io, più che leggerlo, l'ho divorato! Anche se ha più di 400 pagine, l'ho finito in due giorni! È troppo avvincente, una volta iniziato non puoi fare a meno di finirlo!". E, scendendo alla sua fermata, glielo aveva prestato.

Michele per il resto della giornata aveva pensato non tanto al libro, quanto alla frase di Danilo: "...l'ho divorato!". Certo, sapeva bene che Danilo intendeva che aveva letto quel libro molto velocemente, quasi come se lo avesse mangiato. È un'espressione comune, che lo accompagnò però anche quando se ne andò a dormire.

Forse è proprio vero, come si dice, che "la notte porta consiglio" perché, al suo risveglio, Michele si alzò con un'idea geniale in mente: creare libri da mangiare. Come? Beh, non ci crederete, ma lo aveva sognato. Un sogno preciso e dettagliato, che gli aveva svelato la ricetta per creare dei libri da mangiare. Ingredienti: un libro, farina, uova. Procedimento: prendere un libro, e metterlo nell'acqua calda. Lasciarlo bollire a fuoco lento finché la carta non diventa un impasto uniforme e denso[2]. Nel frattempo, prendere farina e uova e fare una pasta come per una torta. Aggiungere il "libro" e impastare il tutto aggiungendo acqua ogni tanto. Scaldare il forno fino a farlo arrivare a 150 gradi. Si può decidere se fare una torta, una pizza o dei pasticcini, a seconda dei gusti e delle preferenze. Mettere quindi tutto in forno per almeno 20 minuti. Alla fine della cottura, servire il tutto. Il

[1] *divorare*: mangiare con grande appetito.

[2] *denso*: non più solido ma non ancora completamente liquido.

risultato sarà straordinario: chi mangia questo tipo di cibo a base di "pasta di libro" sarà come se leggesse il libro stesso! Questo grazie ad un ingrediente segreto che Michele non ha mai rivelato né rivelerà mai a nessuno.
Michele per prima cosa fece una torta con il libro che gli aveva prestato Danilo, visto che non aveva né tempo né voglia di leggerlo "normalmente". Assaggiando la prima, fetta, sentì di aver letto tutto il primo capitolo: davvero molto avvincente! Subito tagliò e mangiò la seconda fetta: mmmh, bellissimo, un colpo di scena dietro l'altro! Altra fetta: nel terzo capitolo compariva l'altro personaggio principale, il detective, che era sulle tracce del serial killer, ma... Altra fetta: ecco, siamo quasi alla fine, ma come finirà? Ultima fetta: ah incredibile, davvero incredibile! Che libro! Che thriller mozzafiato[3]! Aveva ragione Danilo: era davvero un libro da divorare!
Visto che la ricetta funzionava perfettamente, Michele lasciò il suo lavoro, aprì un forno tutto suo e si mise a vendere i suoi "libri": dapprima la gente credeva che si trattasse di una trovata pubblicitaria, e trovandola divertente, iniziò a comprare i suoi pasticcini e le sue torte "letterarie". Ogni prodotto aveva ovviamente il titolo di un libro, in quanto era un libro.

– Mi dà per favore quella bella crostata "Divina Commedia"? – gli chiese una signora.

– Certo, signora, buona lettura!

Tutti ridevano e pensavano: "Che trovata, questo nuovo fornaio, davvero originale!". Ma il giorno dopo tornavano al forno con facce incredule: mangiando quei prodotti avevano davvero letto i libri che avevano quei titoli!

– Ieri ho comprato due etti di pasticcini "Il nome della rosa" e sono arrivato a pagina 280: voglio vedere come va a finire! – chiedeva goloso un signore che non aveva mai avuto voglia di leggere quel libro così impegnativo.

– Ne prenda ancora un etto, signor Toni, vedrà che lo finisce: è molto bello, vero?

– Incredibile, non l'avrei mai detto che mi sarebbe piaciuto così tanto!

– Io voglio quei pasticcini "L'inferno di Dante"! Tra due settimane ho l'esame di Letteratura Italiana e devo ancora leggere i tre canti finali! – grida uno studente con i capelli tutti dritti in testa.

– Allora prendi questi tre – gli dice Michele.

– Io voglio "Biancaneve" per mia figlia, che ancora non sa leggere, ma almeno non mi chiederà più di raccontargliela! – fa un signore distinto.

– Io voglio "Moby Dick"! L'ho letto da bambino e mi era piaciuto tanto!

– Io voglio "Pinocchio"!

– Io tutto il teatro di Pirandello!

– A me "Gli indifferenti" di Moravia!

Un successo strepitoso. In poco tempo il forno di Michele diventò famosissimo, venne la televisione, ne parlarono anche alla BBC, alla CNN, venne addirittura una troupe di

---

[3] *mozzafiato*: che lascia senza respiro.

Al Jazeera International per intervistare "l'uomo che aveva creato il libro del terzo millennio". Non un libro tecnologico, bensì... gastronomico!

Michele ormai viaggiava in Maserati, aveva creato una catena di locali in tutto il mondo, "Bookeat", era diventato ricchissimo, anche i potenti della terra venivano da lui per farsi preparare appositamente delle torte o delle pizze con i discorsi che avrebbero fatto all'Onu, croissant con gli interventi da preparare per le visite ufficiali.

Michele era felicissimo, era... Bip! Bip! Bip!

La radiosveglia. Sono le 7.30. Ma allora...? Il sorriso radioso con cui si era svegliato Michele si spense subito: un sogno! Solo un sogno! "Era troppo bello per essere vero!", pensò Michele, deluso. Il libro di Danilo era sul comodino integro, con la copertina e tutto. Non era finito in pentola come nel sogno.

"Però", si disse, "se riesco a ricordare qual era quell'ingrediente segreto, li potrò fare veramente, questi libri da mangiare!". E con quest'idea andò al lavoro, con la speranza di ricordarsi, un giorno, magari per caso, l'ingrediente per far diventare i suoi sogni realtà.

Attività

1 Indica le affermazioni presenti nel testo.

1. Danilo mangia un libro al giorno.
2. Michele è ossessionato da una frase di Danilo.
3. Per fare libri da mangiare bisogna aprire un forno.
4. Alla gente piace molto mangiare i "libri" di Michele.
5. Michele nel sogno diventa ricco e famoso.
6. Michele si ricorda l'ingrediente segreto al risveglio.

2 Abbina i contrari.

1. avvincente	a. ordinario
2. preciso	b. noioso
3. uniforme	c. corrotto
4. straordinario	d. confuso
5. integro	e. differente/difforme

1 - OGGI PASSERÒ L'ESAME!

1. 1. classe, 2. biblioteca, 3. mensa
2. 1. te l', 2. me l', 3. ce ne, 4. ve li, 5. me lo

2 - UN SALTO IN BANCA

1. 1, 3
2. 1. c, 2. e, 3. f, 4. b, 5. a, 6. g, 7. h, 8. d

3 - LA CITTÀ PIÙ BELLA DEL MONDO È LA MIA!

1. 1. b, 2. b, 3. a
2. 1. d, 2. g, 3. a, 4. e, 5. h, 6. b

4 - C'ERA UNA VOLTA...

1. Risposta libera
2. 1. c, 2. d, 3. b, 4. e, 5. a

tu	*lui/lei/Lei*	*noi*	*voi*	*loro*
muovesti	*mosse*	*muovemmo*	*muoveste*	*mossero*
crescesti	*crebbe*	*crescemmo*	*cresceste*	*crebbero*
togliesti	*tolse*	*togliemmo*	*toglieste*	*tolsero*
tacesti	*tacque*	*tacemmo*	*taceste*	*tacquero*
volesti	*volle*	*volemmo*	*voleste*	*vollero*

5 - BUONE INTENZIONI

1. Risposte suggerite: 1. abbia finalmente deciso di fare sport; 2. sia un catorcio; 3. sia andato; 4. di dedicare gran parte del tempo allo sci; 5. non intendesse praticare sport ma seguirlo in televisione
2. lunedì: pallacanestro, martedì: nuoto, mercoledì: calcio, giovedì: ciclismo, sabato: sci

6 - IL VIOLA PORTA SFORTUNA

1. 1, 4, 5, 8
2. Risposte libere

7 - NASCITA DI UN ALBERO

1. 1. Non credevo che gli alberi avessero una vita molto attiva; 2. Speravo che l'uomo un giorno avrebbe rispettato di più la natura; 3. Non credevo che l'uomo fosse capace di ascoltare la natura; 4. La gente non immaginava che quell'albero fino al giorno prima fosse una persona; 5. Non pensavo che voi un giorno mi avreste creduto
2. 1. b, 2. c, 3. a, 4. d

8 - TE LO DICO CON UN SMS

1. Risposte suggerite: 1. Se Diego avesse ascoltato bene cosa si dicevano Viola e la sua amica, avrebbe capito a chi apparteneva quel numero di cellulare; 2. Se Diego avesse capito che il numero era quello della sorella di Viola non avrebbe mandato il primo sms; 3. Se il cellulare di Diego non avesse avuto la batteria carica, non avrebbe mai conosciuto la sua futura moglie; 4. Se a Valentina non fosse piaciuto Diego, non l'avrebbe mai invitato al suo tavolo; 5. Se non avessero avuto il cellulare, Valentina e Diego non si sarebbero mai innamorati
2. Risposte suggerite: 1. Diego ha incontrato in metrò la ragazza dei suoi sogni, che si chiama Viola; 2. Viola è nel metrò con un'amica alla quale ha appena dato un numero di telefono che Diego crede sia di Viola; 3. Diego segue Viola che va in un bar con un'amica che in realtà è la sorella e che non piace a Diego

9 - L'UOMO CHE RUBAVA FONTANE

1.

	[1]C									
[2]S	O	R	V	E	G	L	I	A	R	E
	M									
	M									
	[3]I	N	D	A	G	A	R	E		
	S									
	S									
	A								[4]L	
	[5]R	E	F	U	R	T	I	V	A	
	I								D	
	O								R	
									O	

2. 1. b, 2. g, 3. h, 4. d, 5. a, 6. f

10 - LINEA DIRETTA CON IL LADRO

1a. 1. Non ci lasceremo mai; 2. Giorgia, ti amerò sempre; 3. Da grande voglio fare il pensionato - **1b.** 1. lui era solo un ladro d'auto e che il resto non gli interessava; 2. se fosse diventato un ladro di macchine; 3. di chiamarla prima, per sicurezza
2. Risposta libera

11 - LIBRI... DA MANGIARE!

1. 2, 4, 5
2. 1. b, 2. d, 3. e, 4. a, 5. c

Altri libri Edilingua per questo livello (B1-B2)

Primiracconti è una collana di racconti rivolta a studenti di ogni età e livello. Ogni storia è accompagnata da brevi note e da originali e simpatici disegni. Chiude il libro una sezione con esercizi e relative soluzioni. È disponibile anche la versione libro + **CD audio** che permette di ascoltare tutto il racconto e di svolgere delle brevi attività.

Un giorno diverso (A2-B1) racconta una giornata indimenticabile di un comune impiegato, Pietro, che un bel giorno decide di voler cambiare completamente vita. Decide così di licenziarsi, di aprirsi alla vita e di godersi nuovamente la giornata, facendo colazione al bar, prendendo l'autobus, affrontando spiacevoli imprevisti, facendo spese. È proprio in un negozio di abbigliamento che conosce Cinzia...

Una grammatica italiana per tutti, che può corredare e completare qualsiasi manuale, si compone di due volumi, ciascuno dei quali è organizzato in una **parte teorica**, che esamina le strutture della lingua italiana con un linguaggio semplice e attraverso esempi tratti dalla lingua viva, e una **parte pratica**, che presenta una vasta gamma di esercizi.
Le Chiavi in Appendice e l'impaginazione chiara e moderna ne permettono l'uso anche in autoapprendimento.

Nel II volume, ***Una grammatica italiana per tutti 2*** (B1-B2), si trattano i seguenti fenomeni grammaticali: indefiniti, comparativi, interrogativi, pronomi combinati e relativi, imperativo, congiuntivo, *si* passivante, discorso indiretto, subordinazione.

I verbi italiani per tutti (A1-C2) raccoglie un centinaio di verbi tra quelli più utilizzati e può essere usato sia in classe che in autoapprendimento. Di ciascun verbo viene presentata:

- la coniugazione completa in 2 **tabelle colorate** che permettono di distinguere facilmente il tempo verbale desiderato;
- un'**immagine** per contestualizzare il verbo in una determinata situazione;
- la **pronuncia** (online).

I verbi italiani per tutti è completato da: una ricca Appendice con ulteriori verbi irregolari; una sezione sulle reggenze verbali; un glossario plurilingue (inglese, francese, spagnolo, portoghese e cinese).